Mulzer
Die Nürnberger
Altstadt

Erich Mulzer

DIE NÜRNBERGER ALTSTADT

Das architektonische Gesicht eines historischen Großstadtkerns

Verlag Hans Carl Nürnberg

Das alte Nürnberg im 15. Jahrhundert:
Holzschnitt von Michael Wolgemut aus der
Schedelschen Weltchronik, 1493
Seite 5

Das alte Nürnberg im 19. Jahrhundert:
Zwei Ausschnitte aus dem »Panorama Nürnbergs
vom Kranze des St. Lorenzer Thurmes nach der Natur gezeichnet«,
herausgegeben von B. K. Heller, um 1850
Vorderes und hinteres Vorsatzblatt

Denkmalpflege im 20. Jahrhundert:
Wohnhäuser Untere Krämergasse 16 und 18,
renoviert und z. T. saniert 1975/76
Umschlag

Alle Rechte, einschließlich die der Übersetzung und
der fotomechanischen Wiedergabe, auch in Auszügen, vorbehalten.
© 1976 Verlag Hans Carl, Nürnberg, Printed in Germany.
Alle Aufnahmen vom Verfasser. Umschlaggestaltung Heinz Glaser.
Klischees und Lithos: Reinhardt + Co., Nürnberg.
Druck: Heinz Neubert, Bayreuth, Bindung: Hans Klotz, Augsburg.
ISBN 3 418 00444 X

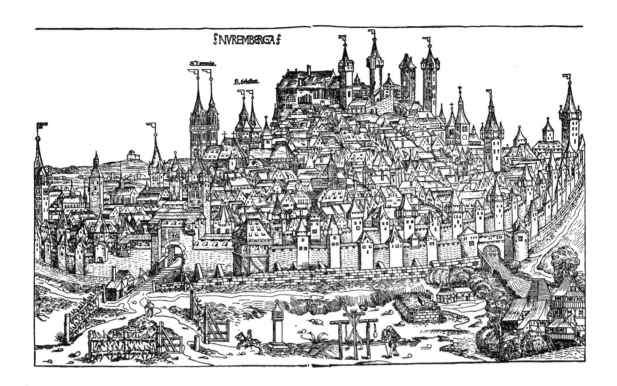

Das alte Nürnberg

Eineinhalb Jahrhunderte lang hatte sich der Begriff »Alt-Nürnberg« tief ins deutsche Bewußtsein eingeprägt. Liebevoll, schwärmerisch, sehnsüchtig oder begeistert ausgesprochen, stand er gleichbedeutend für bürgerliche Kunst und Kultur, ja oft überhaupt für Tradition und Geschichte in einer sich unaufhaltsam technisierenden Welt. Nicht selten rückte er dabei die Stadt bis in die Nähe des nationalen Symbols; Wagners Meistersinger oder das Germanische Nationalmuseum sind nur zwei Beispiele dafür.

Was diese Begeisterung der Zeitgenossen auslöste, war nicht Volkstum, Geschichte oder Atmosphäre der Stadt, sondern allein ihr äußerer Anblick. Schon Heinrich Wackenroder, der zusammen mit Ludwig Tieck 1793 die Wiederentdeckung einleitete, tat das mit dem oft zitierten Satz: »Nürnberg! du vormals weit berühmte Stadt, wie gerne durchwanderte ich deine krummen Gassen, mit welcher kindlichen Liebe betrachtete ich deine altväterlichen Häuser und Kirchen, denen die feste Spur von unserer alten vaterländischen Kunst eingedrückt ist!« Die altersgrauen Bauten, deren Reize sich dem Blick seit der Romantik neu erschlossen, wurden das Medium, in dem längst vergangene Zeiten sich zur greifbaren Wirklichkeit verdichteten und Geist und Gemüt immer drängender zur Antwort herausforderten.

Wenn man dabei häufig das »Gesamtbild« der Stadt beschwor, dann hatte man richtig beobachtet, daß Nürnbergs Berühmtheit nicht auf architektonischen Spitzenleistungen beruhte. Die freie Reichsstadt war nie Bischofs- oder Fürstensitz gewesen, und die großen Gesten des Repräsentierens und Regierens gingen ihr ab. Statt dessen entwickelte die Stadtrepublik einen starken Gemeinschaftsgeist, der das Leben auf vielen Gebieten prägte und auch der Architektur feste Normen gab. Das Maß dieser Architektur aber war und blieb das bürgerliche Haus. Von ihm sind alle städtebaulichen Dimensionen abgeleitet, und auch die Großbauten konnten sich seinem Einfluß nur selten entziehen. So entstand ein Stadtbild, das zwar im einzelnen manchen Freiraum für persönliche Eigenart und schweifende Phantasie, ja sogar für Kurioses und Skuriles ließ, im ganzen aber doch eine imponierende Einheitlichkeit zeigte. Seine eigentlichen Sehenswürdigkeiten waren die Marktplätze, die Handwerkerstraßen und die Wohnhöfe; und die Gestalten, die dem Besucher zuerst in den Sinn kamen, waren wie bei Richard Wagner nicht Könige und Fürsten, sondern Bürger, Handwerker und Kaufleute.

Man hat dieses Stadtbild deshalb in besonderem Maß für ein Zeugnis der schöpferischen Kraft des Volkes nehmen wollen. Daran ist nur insoweit etwas Richtiges, als die politische Stärke des Gemeinwesens es ermöglichte, jahrhundertelang ausgesprochen bürgerliche Lebensformen zur Grundlage des Daseins zu machen. Dem entsprach das Selbstbewußtsein, alle Anregungen von außen, denen man sich lange Zeit weit öffnete, in einer oft verblüffenden Weise umzuformen und einzuschmelzen. Damit blieb dem Stadtbild trotz aller stilistischen und wirtschaftlichen Wandlungen ein eigenartiger bodenständiger Charakter, der aus der kargen mittelfränkischen Sandsteinlandschaft hervorzugehen schien und zu ruhigen, schwer lastenden Bauformen von schmuckarmem Äußeren führte. Ihren Glanz konnte eine solche Architektur in der Harmonie der Maßverhältnisse und in der Kunst des Details finden; in beider Hinsicht hat Nürnberg Außerordentliches geleistet. Eine weitere Entfaltung verhinderte aber letzlich doch nur der Rat, der die reichen Bauherrn streng zügelte und sie zwang, allen aufsehenerregenden Prunk in Hof und Zimmern zu verstecken. Erst der nachträgliche Betrachter mochte dann glauben, daß hier eine Stadt in altfränkischer Einfachheit wie von selbst aus ihrer Umgebung herausgewachsen und zum Künder biederer, bescheidener und tüchtiger Vorfahren geworden war.

Diese aus einem immer ferner rückenden Lebensgefühl gebaute Welt blieb lange unversehrt: Nürnberg war bis zum letzten Krieg die am besten erhaltene mittelalterliche Großstadt Deutschlands. Der Ende des 19. Jahrhunderts mit vieler Mühe gerettete Mauerring hatte sich ein letztes Mal bewährt: Zwar nicht mehr als militärischer, aber doch als optisch-geistiger Schutzwall verhinderte er das Verfließen der Altstadt mit den Außenvierteln und damit die drohende Verwischung der historischen Individualität. Umgürtet von dieser für eine Großstadt einmaligen Befestigung und überragt von der gezackten Krone der Burg, konnte man 1939 noch fast 3000 alte Bauwerke finden — ein äußerlich intakter historischer Organismus, der nur mit Städten wie Venedig oder Florenz vergleichbar war und in ähnlicher Vollendung wie diese eine eigenständige nationale Spielart der bürgerlichen Kulturentwicklung Europas verkörperte.

Nur wer diese Ausstrahlung noch erlebt hat, kann ermessen, wie schwer die Stadt in ihrem Selbstverständnis und in ihrer Wertschätzung durch das große Verderben von 1945 getroffen wurde: Am 2. Januar dieses Jahres, wenige Monate vor Kriegsende, hat man ihr das Herz aus dem Leib gebrannt. Was blieb, war eine der trostlosesten Trümmerwüsten Nachkriegsdeutschlands. Nach dreißigjährigem Aufbau, der sowohl Retten und Gestalten wie auch Verschleudern und Verbauen einschloß, ist Nürnberg wohl wieder zu einer interessanten und sehenswerten Stadt geworden. Aber das Wort vom »alten Nürnberg« lebt nur noch schattenhaft; die Faszination, die es auf unsere Vorväter ausübte, und die innere Bewegung, in die es viele frühere Besucher versetzte, kennt man heute kaum mehr.

Es wird auch dabei bleiben, daß das volle Erlebnis des »alten Nürnberg«, in das man eintauchte wie in ein Meer von Geschichte, um sich durch die Zeiten treiben zu lassen, den Menschen für immer versagt ist. Aber dieses Erlebnis zu erahnen, ein Stück dieses Glücks oder dieser Betroffenheit zu spüren, kann auch heute noch möglich sein. Es bedarf dazu nur der Rückkehr zum verstehenden Schauen, zum Aufspüren der Vergangenheit, wo sie noch leibhaftig zu fassen ist — ganz besonders dort, wo sie stets dem Leben und dem Alltag diente und keine Baedekersterne zu erwarten hat. Man wird dabei zwar nie mehr ein Gesamtbild erblicken, man wird vielleicht lange enttäuscht suchen und viel aufdringlich Zeitgenössisches übersehen müssen. Aber irgendwann wird sich dahinter die alte Stadt abzeichnen: Mit ihren strengen Bindungen, ihrem harmonischen Gefüge, ihren veränderten Maßstäben; als ein Lebensraum, der weit entrückt, aber irgendwie vertraut ist. Vertraut wie die eigene Geschichte, die wir nie erlebt haben, die aber unentdeckt in jedem von uns lebt.

Zu den Abbildungen

1 Blick über die nordwestliche Altstadt zur Burg
Die Burg als vieltürmige Krone über den hochgestaffelten Dächern kennzeichnet den Eindruck, der sich früher dem Anreisenden bot: Ein immer monumentaler aus der Ebene aufsteigendes Bild der Stadt als Gesamtkunstwerk. Dieser Anblick ist heute durch die Vorstadtbebauung verlorengegangen, aber stellenweise von der westlichen Ringstraße aus noch zu erahnen. Dabei stört die Nachkriegsarchitektur vieler Altstadthäuser nicht allzusehr, solange Dachform und Größenordnung eingehalten und die markanten Richtpunkte des Stadtbilds beherrschend geblieben sind.
Im Vordergrund liegt der Pegnitzauslauf der Stadtmauer mit dem Schlayerturm (vgl. Bild 21). Der Mauerzug führt nach links mit dem Spitzhelm des Hallertürleins, einer ehemaligen Fußgängerpforte, weiter und taucht links oben mit dem Tiergärtnertorturm (vgl. Bild 18) wieder auf. Im Gebiet der Burg sind nacheinander Heidenturm, Sinwell (mit dahinterliegendem Fünfeckturm) und Luginsland zu erkennen.

2/3 Blick vom Dach des Dürerhauses zur Burg
Der Palas, in dessen Fundament sich Fels und Mauerwerk verzahnen, ist das Herzstück der zweiten, jüngeren Burganlage: Einer staufischen Kaiserpfalz aus der zweiten Hälfte des 12. Jahrhunderts. Mehrfach erweitert und verändert, gibt der Bau heute jedoch eher den Zustand der Zeit um 1500 wieder. Unterhalb der Burg das Pilatushaus (vgl. Bild 48) und zwei weitere, entgegen der Regel aneinanderstoßende Giebelhäuser, an die sich nach rechts ein überbautes »Reihlein« anschließt. Der Platz hat den Krieg als geschlossene Baugruppe überstanden und ist heute Zentrum des Tourismus.

4 Fünfeckiger Turm
Der wuchtig-klotzartige, fast fensterlose Turm (um 1050) gilt als ältestes Bauwerk der Stadt und wurde im Mittelalter schon »Alt-Nürnberger« oder »Alten-Nürnberg« genannt. Die Innenräume hinter seinen zweieinhalb Meter dicken Wänden sind quadratisch; die links sichtbare fünfte Ecke besteht nur aus einem Mauervorsprung. Nach der Teilzerstörung 1420 erhielt der Turm seine beiden Obergeschosse einschließlich des hölzernen Schießbodens und um 1560 ein vereinfachtes Dach. 1945 brannte er total aus.
Im Umkreis dieses Turms ist die älteste Burganlage zu suchen, die 1050 erstmals als Königsbesitz erwähnt und im Zug der Erblichkeit der Lehen allmählich zur »Burggrafenburg« der hier amtierenden Hohenzollern wurde.

5 Heidenturm
Der Unterteil steht im Mauerverband mit dem staufischen Palas (2. Hälfte des 12. Jahrhunderts) und enthält die doppelstöckige romanische Kaiserkapelle. Die eigentlichen Turmgeschosse sind wohl etwas jünger. 1566 wurde ein gotischer Fünfknopf-Abschluß durch das heutige Zeltdach ersetzt. Bemerkenswert ist die vielfigurige romanische Bauplastik, die dem von links heraufführenden Zugangsweg eine Schmuckarchitektur im Sinne staufisch-imperialer Repräsentation entgegenstellte. Auch zwei kulissenartig vorspringende Ecken waren, wie die romanischen Kapitelle anzeigen, darin einbezogen.

6 Luginsland
1377 entstand dieser schlanke, harmonische Turm im Auftrag des Rats, um die unmittelbar angrenzende Burggrafenburg, die politisch von der Stadt unabhängig war, zu überwachen. Nach Zerstörung und Erwerb dieses Burgteils 1420 bzw. 1427 wurde der Luginsland 1495 durch das Kornhaus der »Kaiserstallung« (Bild 30) mit dem Fünfeckigen Turm verbunden. Später diente er als Staatsgefängnis, in dem noch Kaspar Hauser 1828 einige Nächte zubrachte. 1945 riß eine von oben einfallende Sprengbombe den Turm völlig auseinander, 1955 erstand er bis auf die Fensterverteilung äußerlich getreu wieder.

7 Sinwellturm

Als einziger Rundturm der Burg gehört er noch der staufischen Bauperiode an. Sein heutiges Aussehen erhielt er aber erst 1562 durch ein neu aufgesetztes, ausladendes Geschoß mit dem charakteristischen zweistufigen Abschluß der Nürnberger Renaissance-Tortürme (vgl. Bild 19). Damit gewann die spezifisch reichsstädtische Architektur unübersehbar Anteil an der Burggestaltung.

8 Hasenburg mit Himmelsstallung

Die Hasenburg ist eine der drei Burghuten, die als Torschutz an den Zugängen zur Kaiserburg lagen. Unter dem turmartigen, z. T. noch romanischen Sandsteinbau hindurch führt der wichtigste Weg von der Stadt zur Burg. Das verputzte Obergeschoß ist eine spätmittelalterliche Ergänzung ebenso wie die nach links anschließende »Himmelsstallung«, die schon zu den Betriebsgebäuden des inneren Burghofs zählt. Dieser Fachwerkbau wurde 1945 zerstört, 1948 aber äußerlich unverändert wiedererrichtet.

9 Walburgiskapelle mit Freiung und Sinwellturm

Die Walburgiskapelle (siehe auch Bild 131) gehörte wie Fünfeckiger Turm und Amtmannswohnung zur 1420 zerstörten Burggrafenburg. Der massige Chorturm war gleichzeitig Wehrbau und erhielt erst nachträglich das gotische Maßwerkfenster. Später trug er ein Obergeschoß aus Fachwerk, an dessen Stelle seit 1677 ein Sandsteinaufbau nachweisbar ist. 1945 erlitt der Bau schwerste Schäden, wurde aber 1968 wiederhergestellt.

Die Freiung leitet von der Burggrafen- zur Kaiserburg über und galt zeitweise als Asylort für Verfolgte. Von jeher bot sie den schönsten Ausblick auf die Stadt. Unten tritt der Sandsteinfels des Burgbergs hervor, der den eigentlichen Anlaß zur Stadtgründung gab und auch den Namen Nürnberg (= Felsberg) entstehen ließ.

10 Amtmannswohnung

An der wehrtechnischen Schlüsselstelle gelegen, wo das Vestnertor als einzige Verbindung zum Vorland mündet, gehörte der strenge, verschlossene Bau schon zur frühesten Burganlage. Gleichzeitig bildete er aber auch eine Torhut der staufischen Kaiserburg. Von 1427 bis 1806 wohnte hier der reichsstädtische »Amtmann auf der Vesten«, der die Rechte und Zugehörungen der von der Stadt erworbenen Burggrafenburg weiter verwaltete.

11 Tiefer Brunnen und Sekretariatsgebäude

Die beiden kleinen Häuser entstanden 1563 bzw. 1564 über dem »Tiefen Brunnen«, der wohl schon aus der Entstehungszeit der Burg stammt und 60 Meter in den Sandsteinfels hinabreicht. Der linke, nur mit dem Giebel sichtbare Bau ist das eigentliche Brunnenhaus, an das sich nach rechts die ehemalige Badstube anschließt. 1945 wurden beide Häuser bis auf einen Teil der Sandsteinmauern vernichtet, aber 1950 getreu wiederhergestellt.

Der Fachwerkbau im Hintergrund gehört der Zeit um 1500 an und enthielt ursprünglich Wohnungen für drei Burgbedienstete. Hier wurde 1687 der Schilderer des barocken Nürnberg, der Kupferstecher Johann Adam Delsenbach, geboren. 1969/71 ließ der Staat das gesamte Haus unter Erhaltung der Außenwände innerlich entkernen und neu ausbauen.

12 Alter Torturm im Schwedenhof

Der Rest des alten Vestnertors an der Rückseite der Amtmannswohnung zeigt, wie sehr die Burg ursprünglich mit Türmen und Mauern bewehrt war, bevor die Bastionierung des 16. Jahrhunderts eine gänzlich neue Lage schuf.

Der malerisch an den Giebel gelehnte Fachwerkbau wurde 1967 zur Sanierung abgebrochen und neu errichtet. Original erhalten ist die rechts anschließende spätgotische Fachwerkfront, die in starkem Kontrast zur wehrhaften Außenseite der Amtmannswohnung steht.

13 Vestnertor mit Wachhaus

Mit ihrer Feindseite grenzt die Burg an den Stadtgraben. Ihr einziger Zugang aus dieser Richtung ist das Vestnertor, das seit etwa 1540 im Tunnel durch die damals errichtete Schwedenhof-Bastei führt. Der letzte Teil der Grabenbrücke war hochziehbar (Falz und Radschlitze sind noch sichtbar). Links ein Wachhaus, das ursprünglich mit Palisadenzaun und Schlagbaum den Brückenzugang sicherte.

14 Rundbastei »Backofen« am Kappenzipfel

Die Bastion wurde 1527 zunächst bis zum Wulst in Höhe des Stadtmauerzwingers errichtet, dann um zwölf glatte Quaderlagen aufgestockt. Derartige »Rondelle« sollten die anschließenden Mauerstrecken artilleristisch ausflankieren und gleichzeitig als hochgelegene Geschützplattformen für den Fernkampf dienen. Zum Bestreichen der Gra-

bensohle enthielten sie Kasematten (eine Schieß-
scharte ist rechts unterhalb der helleren Sand-
steine sichtbar; eine weitere war früher an Stelle
der Tür), aus denen der Pulverdampf durch Rauch-
schlote (jeweils darüber) abzog. Seit dem 18. Jahrhundert machte sich allmählich bürgerliches Gar-
tenvergnügen auf der Befestigung breit, wovon
neben dem Baumbestand auch die beiden »Lust-
häuslein« zeugen.

15 Teil der Burgbastionen
Noch weit mehr als der Einbau einzelner Basteien
und Kanonentürme hat die Vollbastionierung der
Burgfront den Charakter der mittelalterlichen Befestigung geändert. Die Umgestaltung erfolgte
1538–1545 unter Leitung des vom Rat berufenen
Maltesers Antonio Fazuni. Vorteil des mehreckigen
Grundrisses ist die ungehinderte Flankierung aller
Bastionsteile aus benachbarten Geschützscharten
heraus, während die älteren Bastionen durch ihre
Rundung tote Winkel aufwiesen. — Das Bild zeigt
eine niedrigere Flügelbastei der links anschließenden Hauptbastion, während im Hintergrund, überragt vom alten Torturm, Teile der Tiergärtnertor-
bastei sichtbar werden.

16 Königsturm und Prisaun am Spittlertorgraben
Wo die ursprüngliche Befestigung der Zeit um
1400 erhalten ist, zeigt sie doppelte Mauerführung
mit auf Lücke stehenden Türmen. Auch die vor-
dere Mauer war anfangs höher und trug einen
Wehrgang (wie rechts am Turm noch erkennbar).
Er fiel erst, als der »Zwinger« zwischen beiden
Mauern seit etwa 1500 als Artilleriestellung be-
nutzt wurde. Die hintere Mauer ist auf dem Bild
durch die angebaute »Prisaun« verdeckt, ein Nar-
renhäuslein, in dem man Geisteskranke am äußer-
sten Rand der Stadt einsperrte.

17 Nördlicher Pegnitzeinfluß
Die Mauer überbrückt in einem kühnen, weitge-
spannten Schwibbogen das Wasser, während die
Zwingerzone durch kleinere Basteien (1544–49)
abgefangen wird. Ursprünglich sollte auch der
äußere Mauerzug über den Fluß gespannt werden;
die Widerlager dafür sind heute noch an den Bastionen (im Bild nicht sichtbar) erhalten. 1945 erlitt die Partie schwere Splitter- und Brandschäden.
Beim Wiederaufbau 1970 wurde der Turm will-
kürlich erhöht und der Wehrgang mit einem fla-
cheren Dach als früher gedeckt.

18 Tiergärtnertor
Eines der fünf Haupttore der Stadt. Seine mittelalterliche Gestaltung mit einem Waffenhof ver-
schwand, als das Gelände 1538—45 in die Burg-
bastionierung einbezogen wurde. Erhalten blieb
lediglich der Torturm, dessen Kern noch in das
13. Jahrhundert zurückreicht. Sein oberster Teil,
der sehr reizvoll das Motiv der gotischen Ecktürmchen abwandelt, stammt von 1516.

19 Neutor
Hier erhielt der viereckige Torturm 1559 eine
runde Ummantelung und damit unter dem Dach
eine 28 Meter hoch gelegene Geschützplattform.
Er läßt sich als gigantische überhöhte Rundbastei
(vgl. Bild 14) ansehen. Seine Mauerstärke er-
reicht bis zu sechs Meter, so daß er, ebenso wie
drei andere Haupttor-Türme, im letzten Krieg als
Luftschutzbunker dienen konnte. Der Weg in die
Stadt führt heute noch durch einen beiderseits
mit Toren abgeschlossenen Waffenhof. Das Wappen stammt jedoch aus dem 19., die seitliche Fußgängerpforte aus dem 20. Jahrhundert. Die hellen
Mauerstellen bezeichnen werkgerecht behobene
Kriegsschäden.

20 Wasserturm mit Weinstadel
Der Turm ist ein Rest eines älteren, jetzt innerhalb der Altstadt liegenden Befestigungssystems.
Er wurde um 1320 erbaut und erhielt 1582 sein
oberstes Stockwerk. Der benachbarte Weinstadel
von 1446/48 zählt mit seinen 48 Metern Seiten-
länge zu den größten Fachwerkbauten Deutschlands und leitet die Entwicklung der späteren
steinernen Großspeicher (Bilder 28—30) ein. Turm
und Stadel sind mit einem freischwebenden, nach
dem Krieg rekonstruierten Häuschen zur male-
rischen Gruppe verbunden. Durch die Trocken-
legung und Betonierung der dazwischen münden-
den Pferdeschwemme hat der Gesamteindruck
allerdings schweren Schaden genommen.

21 Schlayerturm und Spießhaus
Am Pegnitzübergang der Stadtmauer zeigt sich im
Vergleich zum vorigen Bild der Fortschritt der
Festungsbautechnik innerhalb 150 Jahren: Der
Fluß wird beiderseits von Bastionen eingefaßt, der
Turm ist für Kanonenbestückung dimensioniert,
und das Spießhaus (ein städtisches Waffenmaga-
zin) weist Fallgitterrillen auf. Beide Gebäude sind
auf einer Dürerschen Federzeichnung von 1494

schon vorhanden. Nach dieser Darstellung wurde beim Wiederaufbau 1956/57 der Oberteil des schwer beschädigten, seit Jahrhunderten verkürzten Turmes rekonstruiert.

22 Heilig-Geist-Spital, Sude
Das bereits 1331 gestiftete größte Spital der Stadt für arme und alleinstehende Alte erfuhr um 1500 umfangreiche Erweiterungen, die nur noch über der Pegnitz möglich waren. Nach verschiedenen vergeblichen Versuchen, mit dem sumpfigen Grund fertig zu werden, wurde 1506 auch der Stadtwerkmeister Hans Beheim d. Ä. mit dem Bau befaßt. Wahrscheinlich erfolgte die Fertigstellung 1511—27 unter seinem Einfluß; zumindest ist die schlichte Monumentalität der Fassade, die durch die Kombination von Chörlein und Erker einen unverwechselbaren Akzent erhält, bezeichnend für seine Handschrift. Die auf Eichenpfählen ruhenden soliden Bögen widerstanden auch dem Luftkrieg, so daß 1951/53 der fast völlig erneuerte Bau wieder auf ihnen aufgesetzt werden konnte.

23 Heilig-Geist-Spital, Norishof
Links das Sudenpredigerhaus, das noch aus der Zeit vor der großen Erweiterung stammt und auch im Luftkrieg erhalten blieb. Rechts der Eingang zum Kreuzigungshof (Bild 103) mit den Giebeln der beiden flankierenden Bauten. Links davon ist gerade noch die Giebelmauer der Sude erkennbar, die den westlichen Abschluß des Komplexes bildet. Sie war der Bau für die bettlägerigen Kranken.

24 Heilig-Geist-Spital, Ostfront
Der Pegnitzeinfluß unter dem Kreuzigungshof ist anders als der Ausfluß unter der Sude (Bild 22) gestaltet: Die niedrigere Dachfläche und die beiden Gesimse bringen einen Zug ins Breite, dem auch der massive Eisabweiser nur wenig entgegenwirkt. An den Sandsteinen ist die starke Erneuerung beim Wiederaufbau ablesbar. Rechts grenzt die ehemalige Spitalkirche an.

25 Heilig-Geist-Spital, Sudenpredigerhaus
Das einzige noch mittelalterliche Gebäude des Spitals diente ursprünglich als Pfarrers- und Verwalterswohnung und stammt wohl aus dem Ende des 15. Jahrhunderts. Links ein Aborterker, der mit einem Kleeblattbogen dekorative Züge aufweist.

26 Heilig-Geist-Spital, Wasserhof
Im Gegensatz zu den bekannten Höfen des Spitals (Bilder 103 und 104) handelt es sich hier eher um einen Lichtschacht, der zwischen Sude und Hofbau bis zur Pegnitz hinabreicht. Seinen Akzent erhält er durch ein spätgotisches Steinchörlein, das über zwei Konsolen und einem Kielbogen flach auslädt. Seit 1973 wird es allerdings durch einen grobgliedrigen neuen Fachwerkausbau fast erdrückt. Darunter führte früher eine Waschtreppe zum Fluß hinab.

27 Heilig-Geist-Spital, Front zur Spitalgasse
Rechts der Abschlußbau des Kreuzigungshofes. Die unregelmäßige, durch einen Treppenturm und zwei Strebepfeiler gegliederte Fassade zeigt in ihren älteren Teilen (hinter den drei parkenden Autos) Backsteinmauerwerk. Beim Wiederaufbau wurde die oberste Fensterreihe vereinheitlicht und ein großer Fachwerk-Dacherker weggelassen. Von der anschließenden Kirche, einem unabdingbaren Bestandteil des Spitals, sind lediglich Turm und Längswand (1332—39) erhalten; andere, stark ruinöse Teile wurden 1960 beseitigt. Von 1424 bis 1796 beherbergte diese Kirche die Reichskleinodien und war damit ein Ort höchster reichsgeschichtlicher Bedeutung. Heute dient sie mit nur ungefähr angeglichenen äußeren Konturen als Saalbau und Studentenwohnheim.

28 Mauthalle
Der riesige, neun Stockwerke über dem Boden umfassende Bau wurde 1498—1502 von Stadtwerkmeister Hans Beheim d. Ä. als Kornhalle, Waage und Zollamt im aufgelassenen alten Stadtgraben errichtet. Die Grundfläche beträgt 82 x 20 Meter, die Höhe etwa 30 Meter. Ursprünglich umfaßte die Halle nur kleine Einzelfenster wie in der Mitte der Giebelseite über dem Portal. Die größeren Öffnungen einschließlich der Schaufenster entstanden anläßlich der Umgestaltung zu einem Geschäftshaus 1898. Beim Wiederaufbau des völlig ausgebrannten Gebäudes 1953 wurde der Arkadendurchgang geschaffen und der für den Gesamteindruck äußerst wichtige Fachwerkerker zwar in gleicher Größe, aber nur in verputztem Mauerwerk ersetzt.

29 Unschlitthaus
Ein weiteres der ehemals zehn reichsstädtischen Kornhäuser, 1490/91 mit origineller Giebel- und Portalgestaltung erbaut. Es steht ebenfalls auf

dem älteren, seinerzeit aufgelassenen Befestigungszug; an der rechten Seitenwand (hinter dem Briefkasten) ist im Unterbau die frühere Stadtmauer noch zu erkennen.

30 *Kaiserstallung*

Das »Kornhaus auf der Vesten« spannte der Stadtwerkmeister Hans Beheim d. Ä. 1494/95 so geschickt zwischen die beiden grundverschiedenen Wehrbauten des Luginsland und des Fünfeckturms ein, daß eine der markantesten Baugruppen der Stadt entstand. Die Fassade des Speichers zeigt noch die alten Öffnungen; auch die gekuppelten Fenster im zweiten Obergeschoß gehören dazu (wenn sie auch nach dem totalen Brandschaden ebenso wie große Teile des Mauerwerks ausgewechselt wurden). Das stark beschädigte Wappen über der Tür stammt von Adam Kraft und trägt die Bauinschrift: »Angefangen an sant lienharcztag in dem 1494 jar und an sant lienharcztag in dem 95 jar volpracht«.

31 *Kornhaus, Untere Talgasse 8*

Ein kleinerer, in einem alten Stadtmauerzwinger stehender Speicher, der mit dem im 15. Jahrhundert öfters genannten »Bleidenhaus«, einem Vorläufer des Zeughauses, identisch sein könnte. Bemerkenswert ist der doppelstöckige Aufzugserker mit altertümlichem Fachwerkgefüge.

32 *Zeughaus, Pfannenschmiedsgasse 24*

Es handelt sich nur um den Portalbau des Zeughauses, der 1588 durch den Stadtwerkmeister Hans Dietmair in schwerer Rustika und mit flankierenden Türmen errichtet wurde. Vermutlich sollte die ungewöhnliche Bauweise das Militärisch-Festungsartige der Einrichtung sichtbar machen. Die hinter dieser Durchfahrt liegenden großen Kornhäuser, die als Waffenarsenale dienten, brannten 1945 aus und verfielen dem Abbruch, während das ebenfalls ausgebrannte Torhaus 1954/55 restauriert wurde.

33 *Herrenschießhaus, Am Sand 8*

Das in seiner Erscheinung sehr nürnbergisch wirkende Gebäude schuf 1582/83 ebenfalls Hans Dietmair, der damals erst einige Jahre in der Stadt lebte. Giebel und Fenster lassen die Verwandtschaft mit dem Zeughaus erkennen, während der Dacherker ein Prachtexemplar des Zier- und Wohntyps darstellt. Durch die Höherlegung der Straße

wurde ein Teil des Erdgeschosses verdeckt, und die Proportionen des Hauses (die sowohl bei den Vollstockwerken als auch im Giebel eine starke Verringerung der Geschoßhöhen nach oben enthalten) stimmen nicht mehr.

34 *Baumeisterhaus, Bauhof 9*

1615 ließ der Rat durch Stadtwerkmeister Jakob Wolff d. J. ein Amts- und Wohnhaus für den Leiter des reichsstädtischen Bauamts errichten. Das straff gegliederte Gebäude weist mit seinen Fensterumrahmungen schon barocke Züge auf; die Gesimse betonen jedoch nicht die Stockwerksschichtung, sondern (wie beim Herrenschießhaus) die Fensterreihung. Der zum Zwerchgiebel hochgewachsene Erker setzt den ortstypischen Akzent über der Traufseite, bildet aber auch zusammen mit den beiden größeren Hauptgiebeln des freistehenden Hauses eine symmetrische Dachvierung.

35 *Gymnasium, Egidienplatz 10*

Nach dem Brand des ehemaligen Schottenklosters 1696 erstand das darin untergebrachte Gymnasium 1697/99 durch den Zeugmeister Johann Trost neu. Umriß und Größe entsprechen etwa dem früheren Zustand; im einzelnen aber zeigt der Bau eine lebhaft gegliederte Barockfassade. Das gilt besonders für den Mittelteil, der durch Lisenen betont, aber andererseits doch in der Fassadenflucht gehalten wird. Beim Neuausbau des völlig ausgebrannten Gebäudes 1948 wurde wieder einfarbiger Putz aufgebracht; es ist jedoch denkbar, daß die Zierglieder und Wappen ursprünglich farbig abgesetzt waren. – Das Melanchthondenkmal vor dem Haus ist ein Werk Johann Daniel Burgschmiets von 1826.

36 *Rathaus, Wolffscher Bau: Mittelteil*

Als sichtbarer Ausdruck der Stadtherrschaft entstand 1616–22 nach großzügiger Konzeption das Neue Rathaus. Entwerfer und Bauleiter war der städtische Werkmeister Jakob Wolff d. J., der allerdings schon 1620 starb. 1622 kam der Bau wegen des Dreißigjährigen Krieges zum Erliegen, bevor das Hof-Viereck auch auf der Rückseite geschlossen werden konnte. Dem Rat schwebte bei seinen Planungen vermutlich ein italienischer Renaissancepalazzo vor; die bandartig zusammengefaßten Fensterreihen und die turmartigen Dachaufbauten setzen den Bau jedoch trotz aller neumodischen Einzelheiten sehr nachdrücklich auf den

Nürnberger Boden zurück. Der Entschluß, die völlig ausgebrannte und zu über einem Drittel zusammengestürzte Ruine nach dem letzten Krieg (um zwei Fensterachsen verkürzt) wiederherzustellen, muß der Stadtverwaltung hoch angerechnet werden.

37 Altes Rathaus: Teil der Südseite mit Gänsemännchenbrunnen

Der für seine frühe Entstehung 1332—40 schon erstaunlich umfangreiche Bau enthielt im Obergeschoß hinter den Maßwerkfenstern den »Großen Saal«, der sowohl für Gerichtssitzungen und Kaiserempfänge wie auch für Tanzveranstaltungen und Hochzeitsfeiern diente und seit 1521 Wandmalereien Dürers aufwies. Der Ausbau des nur in den Umfassungsmauern wiederhergestellten Raums ist eine der großen denkmalpflegerischen Aufgaben, die der Stadt noch gestellt sind.

38 Altes Rathaus: Ostgiebel in der Rathausgasse

Wie manche andere Bauten des 14. Jahrhunderts (vgl. Bild 27) ist auch das Alte Rathaus in Backstein errichtet und verputzt. Nur am Giebel, dem dekorativen Konzentrationspunkt der Nürnberger Bauweise zu allen Zeiten, tritt dieses Material sichtbar hervor und hält sich als Schmuckelement während des ganzen Mittelalters (vgl. Bilder 28 und 56). Die Einzelformen dieser Backsteingiebel erinnern dabei weniger an Norddeutschland als an die nordöstlichen Kolonisationsgebiete und den Ordensstaat.

In der türmchenartig verdickten Mittellisene hängt die Ratsglocke, die täglich den Beginn der Sitzung ankündigte.

39 Rathaus, Wolffscher Bau: Südlicher Dachpavillon

Die Dachaufsätze sind nur aus der vielformigen Welt der Nürnberger Dacharchitektur zu erklären; insbesondere kann man sie als Weiterentwicklung der Zier- und Wohnerker mit Spitzhelm (wie auf den Bildern 33, 52 und 53) auffassen. Indem sie die Dachbalustrade durchstoßen, überhöhen sie die waagrechte Schichtung des Renaissancebaus durch ein mehrgipfeliges Dachgebirge heimischer Prägung.

40 Altes Rathaus: Fassade der Ratsstube

1514/15 führte der Stadtwerkmeister Hans Beheim d. Ä. Umbauten am Alten Rathaus und an zwei gemieteten Nachbarhäusern aus. Dabei versah er die »Ratsstube«, das Zimmer der täglichen Ratssitzungen und damit die Schaltstelle der gesamten reichsstädtischen Politik, mit einer in Nürnberg einzigartigen Maß- und Stabwerkfassade. Sie hebt gewissermaßen wie ein weltlicher Tabernakel diesen Hausteil von allen anderen ab und macht ihn auch äußerlich als Herzstück des Gemeinwesens sichtbar.

41 Rathaus, Wolffscher Bau: Südliches Portal

Die lange Rathausfront wird nicht nur durch die drei Dacherker, sondern auch durch drei Portale rhythmisch gegliedert. Während ihre Kartuschen das Reichs- oder Stadtwappen enthalten, lagern sich auf den Giebelschrägen Allegorien der Weisheit und Klugheit (am Mittelportal) bzw. der vier Weltreiche (an den Seitenportalen). Das abgebildete Beispiel zeigt links Alexander d. Gr. mit einem vierköpfigen Leoparden, rechts Cäsar mit einem zehnhörnigen Wolf. Die Figuren (Originale im Germanischen Nationalmuseum) wurden von dem württembergischen Bildhauer Leonhard Kern geschaffen, der sich dafür 1617 drei Monate in Nürnberg aufhielt.

42 Kleiner Rathaushof: Ratstreppe

Den Hof zwischen großem Saal (links) und anderen Rathaustrakten, an deren Stelle später teilweise der Wolffsche Neubau (hinten) trat, gestaltete Hans Beheim d. Ä. 1514/15 mit spätgotischer Phantasie zu einem intimen, asymmetrischen und vielgliedrigen Raum. Brückenartig überquert ihn die Ratstreppe als Zugang zum Saal.

43 Kleiner Rathaushof: Chörlein

In umgekehrter Richtung erblickt man an der Rückwand der Ratsstube eins der schönsten Nürnberger Chörlein: Über und über von Maßwerk umsponnen, das in seinen dynamischen Formen die Brüstungsfelder fast zu sprengen scheint. Dies ebenso wie die freihängenden Schlußsteine der beiden Halbsäulen oder wie das kühne Aufeinandertreffen zweier tragender Bögen zeigt den unerschöpflichen Reichtum Beheimscher Gestaltungskraft.

44 Nassauerhaus, Karolinenstraße 2

Der Typ des steinernen Turmhauses auf quadratischer Grundfläche stammt noch aus der Frühzeit der Stadtentwicklung und überliefert den Wohnsitz sozial bevorrechtigter Familien. Bei diesem einzigen erhaltenen Beispiel stellt der Oberteil mit Chörlein, Zinnenkranz und Ecktürmchen allerdings eine bürgerlich-spielerische Ausgestaltung der Zeit um 1420/30 dar. Der Urzustand des 13. Jahrhunderts ist nur am Mauerwerk der beiden unteren Geschosse sowie an dem tiefen tonnengewölbten Keller zu erkennen. Darunter liegt noch eine rätselhafte, kreuzförmige »Stollenkrypta« mit Brunnennische. Im Luftkrieg brannte das Gebäude bis in den Keller aus, wurde aber unter Verwendung der alten Mauersubstanz wiederhergestellt. 1975 erhielt es im Innenraum des zweiten Oberstocks eine barocke Stuckdecke aus dem ehemaligen Ebracher Hof eingebaut.

45 Fembohaus, Burgstraße 15

Das 1591–96 für einen niederländischen Kaufmann errichtete Anwesen ist die bedeutendste erhaltene Nürnberger Hausanlage. Die Straßenführung erlaubte hier den seitlichen Aussprung und damit ausnahmsweise die Gestaltung einer Schauseite. Sie wird von einem Spätrenaissance-Giebel mit Fortuna-Figur symmetrisch bekrönt, während der eigentliche, vom ehemaligen Nachbaranwesen teilweise verdeckte Hauskörper durch das Ausweichen von Chörlein und Tor ein geschickt ausbalanciertes Gleichgewicht bewahrt.

46 Sebalder Pfarrhof, Albrecht-Dürer-Platz 1

Teile des Mauerwerks dieses Wohnhauses müssen bereits gestanden sein, als um 1380 das figurenreiche Chörlein (Original im Germanischen Nationalmuseum) dem Bau angelehnt wurde. Dieser Prototyp der später so beliebten Form bildet noch einen Grenzfall: Mit Stützpfeiler und Ziegeldach wirkt das Chörlein als nahezu selbständiges Bauwerk, das in der Art von Kirchenchören fünfseitig kräftig vorspringt. Der zweimalige Wechsel von vertikalen und horizontalen Strukturen gibt ihm die oft bewunderte Harmonie, während der Standpunkt am äußeren Ende der Fassade es in die Sichtlinie der dort zusammenlaufenden Straßen rückt.

47 Tucherschlößchen, Hirschelgasse 11

Dieses 1534/44 errichtete innerstädtische Gartenhaus der Patrizierfamilie ist der eigenartigste und individuellste Nürnberger Wohnbau, in dem sich heimische und fremde, gotische und nachmittelalterliche Formen überschneiden. Besonders deutlich ist dies an den Wandlungen des Lisenengiebels und des Treppenturms zu erkennen, aber auch an den fast absurden Formen mancher Öffnungen und Fensterumrahmungen. Trotz solcher Freiheit im Detail blieb jedoch der Typ des mittelalterlichen Giebelhauses unangetastet. Im Krieg sehr stark beschädigt, wurde das Anwesen 1969/70 durch die Familie Tucher genau restauriert und rekonstruiert.

48 Pilatushaus, Obere Schmiedgasse 66

Der repräsentative Fachwerkbau wurde wahrscheinlich 1489 errichtet. Über dem Sandsteinsockel liegen drei Geschosse mit kurzstrebigem, verblattetem Fachwerk, das im obersten Stockwerk teilweise durch einen der ortstypischen vorkragenden Fensterstreifen verdeckt wird. Darüber folgte ursprünglich wohl ein Walmdach (wie auf den Bildern 66, 71 und 79). Der jetzige Giebel zeigt bereits entwickelteres Fachwerk mit einem Ineinandergreifen von Kopf- und Fußstreben zu den K-Formen und »Wilden Männern« des 16. Jahrhunderts. Ein reizvolles Detail ist der Dachreiter, der den Ausblick über die Stadtmauer in die freie Landschaft erlaubte (vgl. Bild 18).

49 Karlstraße 13

Ein Eckhaus mit einem Sandsteingiebel des frühen 17. Jahrhunderts, dessen straffe Vertikalgliederung durch Pilaster und Obelisken die Stockwerksgesimse durchbricht und an die vorherrschenden Senkrechten gotischer Lisenengiebel erinnert. Die übrige Fassade bleibt vom Formenreichtum des Giebels unberührt und erhält nur durch ein Holzchörlein der Zeit um 1720 einen nachträglichen Akzent. Bei der Umgestaltung zum Spielzeugmuseum 1968/70 wurde die Fassade restauriert und ergänzt, das gesamte übrige Haus jedoch abgebrochen.

50 Weinmarkt 1

Der Königskopfadler zwischen den Fenstern des obersten Stockwerks ist die älteste bauplastische Darstellung des Nürnberger Stadtwappens. Es soll anzeigen, daß in diesem Anwesen während der Bauzeit des alten Rathauses 1332–40 die Ratssitzungen stattgefunden haben. Ein so mächtiges steinernes Wohngebäude ist jedoch in dieser Zeit noch nicht vorstellbar, und es muß ein Umbau oder eine Aufstockung unter Versetzung des

Wappens angenommen werden. Die Form des spätgotischen Ecktürmchens und seiner Maßwerke läßt dafür das Ende des 15. Jahrhunderts annehmen.

51 Haus zur Lilie, Winklerstraße 31

Hier tritt die übliche Nürnberger Hausanlage sichtbar hervor: Hinter dem Hauptbau folgt ein kleiner Hof (Bild 96) und anschließend ein Rückgebäude an der nächsten Gasse. Sein heutiges Aussehen erhielt der Komplex 1519—25 durch den Großviehhändler Bartholomäus Flückh (Jahreszahl unter dem Erker). Die Lilie als Hauszeichen ist schon um 1700 nachgewiesen, aber nicht erklärbar. Im 19. Jahrhundert entstand die Erdgeschoßarchitektur, und 1903 wurde der steinerne Dacherker durch einen gleichartigen aus Holz ersetzt.

52 Füll 6 und 8

Zwei große Sandsteinhäuser, wie sie typbildend in bevorzugten Wohnstraßen auftraten und meist von etablierten Kaufleuten, aber zuweilen auch von Patriziern oder von arrivierten Handwerkern bewohnt wurden. Die beiden Gebäude verfügen bei einer Tiefe von 16 Metern noch über Hof und Hinterhaus, Felsenkeller und drei bis vier Dachböden; trotzdem diente die beträchtliche Wohnfläche in der Regel einer einzigen Familie. Äußerlich unterbricht nur ein spitzhelmiger Dacherker und ein Rokoko-Chörlein die Schlichtheit der Fassaden. Bezeichnend sind die großen Tore (Bild 92), die das Einfahren in den Flur (Bild 93) und in den Hof erlaubten.

53 Burgstraße 15 und 17

Links das Fembohaus von 1591—96, dessen repräsentative Giebelseite (Bild 45) sich in der Straßenfront auf die schlichte Gestaltung des Nürnberger Traufdachhauses reduziert. Die Dacharchitektur zeigt die höchstentwickelte Form des Ziererkers, der trabantenartig von Spitzgauben umgeben wird. Das rechts anschließende Haus, in dem Ende des 16. Jahrhunderts der bedeutende Stadtarzt und Chirurg Georg Palma wohnte, trägt ein Chörlein von etwa 1720.

54 Bergstraße 16

Öfters läßt sich bei Altstadthäusern das Zusammenwachsen aus mehreren Anwesen beobachten. Bei dem abgebildeten Haus wird dies nicht nur an der unterschiedlichen Höhe des Dachfirsts und an der geknickten Fassadenflucht, sondern auch an der Fachwerkkonstruktion deutlich. Sie wurde 1975 mit Hilfe der Vereinigung der Altstadtfreunde freigelegt.

55 Weißgerbergasse 18—24

In dieser Handwerkergasse herrschen schmälere, teilweise in Fachwerk errichtete Häuser vor. Auch hier finden sich jedoch ansehnliche Dimensionen (links) und aufwendigere Einzelformen (Dacherker rechts). Chörlein und Türumrahmung in der Mitte stammen erst aus dem Jahr 1913. Die Wirkung der Baumassen ist von der in wohlhabenderen Straßen (vgl. Bild 52) nicht grundsätzlich verschieden.

56 Adlerstraße 14—20

Wie weit die Mischung verschiedener Baustoffe und Stilmerkmale bei unveränderter Grundform gehen kann, zeigt dieses Ensemble von Fachwerk-, Putz- und Sandsteinfassaden, mit Dacherkern, Chörlein und Giebeln aus Gotik, Barock und Rokoko. Das ungewöhnliche Nebeneinander zweier Giebelhäuser wirft außerdem die Frage nach dem Alter der ortstypischen Traufstellung und nach einer etwaigen spätmittelalterlichen »Firstschwenkung« auf.

57 Albrecht-Dürer-Straße 30 und 32

Nur selten zeigt das Nürnberger Fachwerk dekorative Züge wie bei dem linken Haus, wo 15 Andreaskreuze unter die Fensterbrüstungen treten. Meist gehören solche Muster der zweiten Hälfte des 16. Jahrhunderts an (vgl. Bild 91). Die Fassade wurde 1975 durch die Vereinigung der Altstadtfreunde freigelegt, während das rechts anschließende Haus noch den seit dem 18./19. Jahrhundert üblichen Verputz trägt.

58 Haus zum Goldenen Kreuz, Untere Kreuzgasse 5

Das Gebiet der drei Kreuzgassen wurde erst im 15. Jahrhundert in die Stadtumwallung einbezogen und um 1450 rasch und ziemlich einheitlich bebaut. Das abgebildete Sandsteinhaus gab dabei den Namen für die ganze Gegend, ohne daß seine Bedeutung bisher geklärt werden konnte. Den letzten Krieg überlebte es schwerbeschädigt als eines der wenigen Gebäude in diesem Totalschadensgebiet.

59 Obere Wörthstraße 17–19

Obwohl der Nürnberger Haustyp in Breite und Höhe nicht festgelegt war, tritt er besonders häufig als dreiachsige Fassade mit drei Oberstockwerken auf. Baumaterial, Fenstergestaltung sowie alle Detailformen bleiben dabei veränderlich. Die abgebildeten Anwesen zeigen z. B. außerordentlich große Fenster mit stichbogig gewölbten Stürzen. Der Aufzugserker steht an künstlerischem Wert den großen Ziererkern nicht nach.

60 Albrecht-Dürer-Straße 9–19

Das bewegte Relief in Burgbergnähe schafft ein unruhigeres Straßenbild, das hier durch die Mischung von Alt- und Neubauten noch weiter differenziert wird. Unter den erhaltenen Gebäuden ist neben dem Jamnitzerhaus (Bild 69) vor allem das ehemals Petzische Anwesen mit dem Chörlein und der barocken Dacharchitektur bemerkenswert.

61 Obere Wörthstraße 6–18

Trotz ebener Straßenlage und fast gleicher Traufhöhe entsteht auch hier keine gleichförmige Häuserzeile: Neben der unterschiedlichen Fassadenbreite und den leicht springenden Fensterreihen arbeitet ihr vor allem die Dacharchitektur entgegen. Die akzentuierende, das Einzelhaus betonende Wirkung der großen Erker kann gerade für den traufständigen Nürnberger Haustyp gar nicht hoch genug eingeschätzt werden.

62 Bergstraße 21 und 23

Rechts ein ehemaliges »priviligiertes Bäckeranwesen«, in dem jahrhundertelang dieses Gewerbe ausgeübt wurde. Daneben ein bescheideneres Handwerkerhaus. Unter dem welligen Putz seiner Oberstockwerke ist Fachwerk zu vermuten, das noch 1976 freigelegt werden soll.

63 Weißgerbergasse 23 und 25

Beide Häuser sind seit dem 15. Jahrhundert als Handwerkeranwesen nachweisbar. Trotzdem trägt vor allem das linke, zu dem auch Hof (Bild 95), Rückgebäude und Garten gehören, recht ansehnlichen Zuschnitt. Nach Luftkriegsschaden wurde ihm 1973 mit Hilfe der Vereinigung der Altstadtfreunde sein ursprüngliches, über 9 Meter hohes Steildach einschließlich des Erkers wieder aufgesetzt. Im Erker sind Teile des abgebrochenen Hauses Manggasse 3 verwendet.

64 Augustinerstraße 7

Das Haus entspricht etwa den dreiachsigen Sandsteinfassaden wie auf Bild 59, doch führt der weite Pfostenabstand des altertümlichen Fachwerks zu nur zwei breitgelagerten Fenstern. Lediglich das erste Obergeschoß, das von zwei Pfosten unterteilt wird, weist drei Öffnungen auf; sie sind zu einem Fensterband vereinigt, das über feingliedrig geschnitzten Konsolen auslädt. Das dritte Stockwerk mit seinen dünneren Balken ist jünger. Die Jahreszahl 1438 wäre für den Kern des Hauses möglich, ist aber nicht nachgewiesen. — In dem links anschließenden Anwesen wohnte um 1800 der durch zahlreiche Veröffentlichungen bekannte Nürnberger Ortshistoriker Christoph Gottlieb von Murr.

65 Obere Wörthstraße 19 und 21

Rechts die schmuckvollste Nürnberger Fachwerkfassade, bei der die geschwungenen Andreaskreuze (anders als auf Bild 57) durch spitze Nasen einen noch bewegteren Umriß erhalten. Eine solche Gestaltung war früher vor allem an dekorativen Schwerpunkten wie Höfen oder Erkern zu finden.

66 Untere Krämersgasse 18

Ein sehr altertümliches Haus mit mittelalterlichem Kurzstrebenfachwerk in den beiden obersten Stockwerken und im Giebel. Das Holzwerk des ersten Obergeschosses wurde später ausgewechselt, das im Erdgeschoß durch Sandstein ersetzt (Ansätze der früheren Streben sind in den Schwellhölzern noch sichtbar). Bei der Freilegung des Hauses 1975 durch die Vereinigung der Altstadtfreunde zeigte sich, daß die meisten Gefache noch mit einem lehmverschmierten Weidenruten-Geflecht gefüllt sind.

67 Bergstraße 10

Auch hier wurde im Hauptwohngeschoß altes, teilweise doppelstrebiges Fachwerk durch ein rechtwinkliges Gefüge ersetzt. Weitere Änderungen zeichnen sich an den Fenstern und an der Giebelspitze (ehemals wohl einem Halbwalm) ab. Der Erker rechts oben ist neuzeitlich. Das Haus wurde 1974 mit Hilfe der Vereinigung der Altstadtfreunde freigelegt.

68 Albrecht-Dürer-Straße 24

Die auffallendste Besonderheit des Nürnberger Fachwerkbaus sind die vortretenden Fensterstreifen, hinter denen das Holzgefüge unsichtbar bleibt (vgl. Bilder 12, 23, 25, 48, 64, 66, 71 und 73). Juristisch beruhen sie wohl auf einer Bestimmung in der frühesten Nürnberger Stadtrechtskodifikation von 1479, nach der ein Vorkragen der Stockwerke übereinander verboten war, es aber freistand, im ersten Obergeschoß »von holtz ein fensterwerck um einen halben schuch« auszuladen. Die Konstruktion findet sich nur bei älteren Fassaden und häufig nur in einem oder zwei Stockwerken. Das abgebildete Haus ist also ein extremes Beispiel. Es wurde 1975 mit Hilfe der Vereinigung der Altstadtfreunde freigelegt.

69 Jamnitzerhaus, Albrecht-Dürer-Straße 17

Der gestalterische Schwerpunkt des schmalen Gebäudes scheint ganz in die Dachzone verschoben: Wie ein bizarres Gebirge schieben sich ein Wohnerker mit geschnitztem Fachwerk, mehrere Gauben und ein in Firsthöhe sitzender Aussichtserker übereinander. Nur undeutlich läßt das Schwarz-Weiß-Bild erkennen, daß darüber hinaus auch die Fassade mit einer bänderartigen Aufeinanderfolge verschiedenfarbiger Sandsteinarten individuelle Züge trägt. In diesem Haus wohnte von 1538 bis zu seinem Tod 1585 der Goldschmied Wenzel Jamnitzer. Er hat um 1549 große Teile des Gebäudes umbauen oder neu errichten lassen. Nach dem Verlust der Wohnstätten fast aller berühmten Nürnberger im Luftkrieg ist dieses Gebäude neben dem Dürerhaus das letzte bedeutende Meisteranwesen aus der Blütezeit der Stadt.

70 Bognerhaus, Untere Talgasse 6

Für dieses Anwesen ist der Bauvertrag aus dem Jahr 1537 erhalten: Es wurde damals im Auftrag des Rats für den Bogner der angrenzenden Schießstätte errichtet und reicht auf quadratischem Grundriß bis zur rückwärtigen Gasse durch. Im Erdgeschoß befand sich die Tenne mit der Stiege und zwei Kammern, im Oberstock die Küche, eine Stube und zwei Kammern. Die Stube war mit Bretterboden, Wandbänken und Kachelofen ausgestattet, die Küche erhielt einen gemauerten Herd mit Schlotmantel und (wie alle übrigen Räume) einen gepflasterten Fußboden. Die Fenster in den Kammern besaßen nur Läden, die in Küche und Stube dagegen eichene Kreuzrahmen mit Glasscheiben. Die Gefache der Außenwände waren mit Backsteinen ausgemauert und das Dach mit Biber-

schwänzen gedeckt. Für die schlüsselfertige Übergabe galt ein Preis von 220 Gulden nebst Stellung des benötigten Holzes. Die Bauzeit betrug drei Monate.

71 Dürerhaus, Albrecht-Dürer-Straße 39

Das Anwesen wurde von Dürer 1509 erworben und bis zu seinem Tod 1528 bewohnt. Sein Vorbesitzer Bernhard Walther hatte 1502 umfangreiche Bauarbeiten ausführen lassen, wobei es unklar bleibt, ob es sich dabei um einen Neubau oder um eine tiefgreifende Umgestaltung handelte. Im Kern entspricht das Fachwerk der spätgotischen Form mit kurzen, angeblatteten Streben; es ist jedoch auf der einen Straßenseite unterhalb der vorkragenden Fensterbänder erheblich verändert und weist dort auch jüngere, verzapfte Gefüge auf. Der Erker stammt von einem 1469 erbauten Gebäude und ähnelt einem früher vorhandenen Stück. Im Krieg wurde das Haus durch einen Sprengbombeneinschlag vor der Tür schwer erschüttert und »durchgeblasen«, blieb aber in seiner Substanz bis auf Teile der Sandsteinwand erhalten.

72 Unschlittplatz 1—5

Rechts das Haus zum Mühlstein (Zeichen über der Tür), ein Barockbau mit halbem Volutengiebel und zierlichen Fensterumrahmungen. Links die Westseite des Hauses Unschlittplatz 1. Trotz der älteren, 1873 durch Aufstockung angeglichenen Mittelfassade entsteht hier letztmals das Bild einer Häuserreihe in zurückhaltendem Nürnberger Barock.

73 Maxplatz 27—29, Rückseite zum Nägeleinsplatz

Eins der häufigen Beispiele verputzten Fachwerks: Die vorspringende Fensterreihe im Oberteil des linken Hauses verrät die Holzbauweise. Auch der klassisch-strenge Dacherker dürfte zumindest Stützstreben in seiner Brüstung besitzen. Im Freilegen solcher Bauten oder Bauteile liegt gerade für das ärmer gewordene heutige Stadtbild noch eine beachtliche, leicht zu aktivierende historische Reserve.

74 Unschlittplatz 1

Nach einem Brand 1744 enstand dieses größte Barockpalais der Stadt. Charakteristisch ist die nunmehr auch in Nürnberg übernommene Reliefierung der Fassade durch Pilaster und Fensterumrahmungen. Allerdings gehören nur die drei unteren Stockwerke zum alten Bestand; das oberste Geschoß wurde erst 1860, die Mansarde 1893 und das Chörlein 1912 recht einfühlsam hinzugefügt.

75 Adlerstraße 21

Die nach 1740 errichtete Rokokofassade vereinigt in überzeugender Weise Zeitstil mit Ortstradition: Der moderne Rocaillen-Dekor überzieht die typischen Nürnberger Details wie Chörlein und großen Dacherker. Selbst das assymetrisch gesetzte Eingangstor (rechts; links spätere Schaufensteröffnung) wurde beibehalten. Ein Vergleich mit den Bildern 53, 59 oder 64 macht die bruchlose jahrhundertelange Entwicklung und die Existenz einer ausgeprägten Ortsform deutlich. Das ohne Schäden durch den Krieg gekommene Haus, zu dem auch ein stimmungsvoller mittelalterlicher Arkadenhof gehörte, wurde durch die Deutsche Bank 1961 abgerissen und nur die Fassade dem Neubau wieder vorgeblendet.

76 Untere Schmiedgasse 6

Das winklige, über dem Erdgeschoß vorkragende Kleinhaus stammt wohl noch aus der Spätgotik, zeigt aber ein ausgewechseltes Fachwerk des 18. Jahrhunderts mit rechteckigen Gefachen. Der ursprüngliche Giebel wich um 1860 einem Mansardendach, das aber bis auf die Erker recht gut mit dem Barockfachwerk harmoniert. 1974 wurde das verwahrloste Gebäude im Inneren durch den Besitzer saniert und mit Hilfe der Vereinigung der Altstadtfreunde äußerlich wiederhergestellt.

77 Knorrstraße 2

Das 1777 für einen Goldschlägermeister erbaute Haus zeigt die für den Nürnberger Spätbarock typischen bandartigen Fensterumrahmungen mit Schlußstein. Sie sind hier durch ein Gesimsband miteinander verbunden. Der sehr qualitätvolle schmiedeeiserne Ausleger von etwa 1810 stammt aus dem Antiquitätenhandel und wurde erst nach dem Krieg angebracht.

78 Scharrerhaus, Johannisstraße 39

Ein Beispiel eines Sommerhauses in der Vorstadt St. Johannis, wo sich seit dem 15. Jahrhundert Bürgergärten befanden, deren Entwicklung und Kultivierung im 17./18. Jahrhundert einen Höhepunkt erreichte (vgl. Bild 111). Die Bauform entspricht der des Nürnberger Barockhauses mit betontem Dacherker und ausnahmsweise nur aufgemalten Fensterumrahmungen. Das Anwesen war Wohn- und Sterbestätte des Bürgermeisters Johannes Scharrer, der maßgeblichen Anteil an der Erbauung der Ludwigsbahn zwischen Nürnberg und Fürth 1835 hatte. In dem gut erhaltenen Salon im ersten Stockwerk sollen wichtige Vorbesprechungen über diese erste deutsche Eisenbahn geführt worden sein.

79 Obere Schmiedgasse 54/56, Nordseite

Der älteste bürgerliche Fachwerkbau Nürnbergs findet sich an der Rückfront dieses Wohnhauses, das zur Straße eine Sandsteinfassade zeigt. Besonders altertümliche Züge sind das weite Vorkragen des Giebels, die angeblatteten langen Schräghölzer und das Rauchloch über dem Krüppelwalm. Alle diese Merkmale rücken die Konstruktion zumindest sehr tief in das 15. Jahrhundert. Jünger ist lediglich der großfenstrige Anbau in Verlängerung des Eingangswegs.

80 Ölberg 35

Das Kleinhaus mit der Jahreszahlkartusche 1678 wandelt die Grundform größerer Anwesen kaum ab.

81 Untere Kreuzgasse 4, Pegnitzseite

Die direkte Uferbebauung der Pegnitz ermöglichte die Anbringung balkonartiger hölzerner Gänge über dem Wasser, die vor dem Krieg viele hundert Meter lang den Fluß einrahmten. Das Haus ist neben dem Weinstadel (Bild 20) das letzte Beispiel dafür. An den Brüstungen zeigen sich Spuren früherer Bemalung. Die Fachwerkformen sind noch mittelalterlich, während die Rustikaarchitektur des Untergeschosses wohl bei einer der zahlreichen Reparaturen nach Hochwasser und Unterspülungen entstanden ist.

82 Hausmadonna Albrecht-Dürer-Platz 4

Nürnberg, das 1525 protestantisch wurde, besitzt noch zahlreiche vorreformatorische Marien- und Heiligenfiguren. Sie stehen in gotischer Weise an Hausecken zwischen vertikal betonten Konsolen und Baldachinen (heute allerdings nur noch als Kopien, während sich die Originale im Germanischen Nationalmuseum befinden). Die abgebildete Figur ist 1482 datiert; sie vereinigt Liebreiz des Gesichts mit natürlicher, vorne etwas knitteriger

Gewandfältelung und entspricht damit dem spätgotischen Typus. Seit dem Krieg fehlen Teile der Hand und des Kindes.

83 *St. Georg am Pilatushaus, Obere Schmiedgasse 66*

Der ritterliche Heilige wies ursprünglich auch auf die Werkstatt eines hier ansässigen Plattners (Rüstungsmachers) hin. Nach dem Verlust der ursprünglichen Prunkrüstung im 19. Jahrhundert entstand als Ersatz die heutige Figur.

84 *Hausmadonnen Weinmarkt 12 und 12a*

Beiderseits einer schmalen Gasse stehen sich hier die älteste und die jüngste Hausmadonna Nürnbergs (Originale jeweils im Germanischen Nationalmuseum) gegenüber. Die Entwicklung der Himmelskönigin mit Szepter und Strahlenkranz von 1360/70 zur mädchenhaft-lieblichen Gottesmutter des Veit Stoß von 1520 ist leicht zu erkennen. Sie spricht sich auch in allen Einzelheiten aus; so im Unterschied des fürstlich-thronenden, bekleideten Kindes mit der Weintraube als Symbol der Eucharistie zum nackten strampelnden Säugling; oder im Gegensatz von ruhiger Maßwerkkonsole links zu wildbewegtem Rankenwerk rechts. Bei der Behandlung des Gewands allerdings überhöht die Stoßsche Figur den Naturalismus und stilisiert die Falten fast zum Ornament.

85 *Hausmadonna und Pfinzingchörlein in der Füll*

Die Marienfigur ist eine Schöpfung der Nachkriegszeit in Anlehnung an die Madonna am früheren Eisenbachhaus. Das Chörlein, 1514 datiert, zeigt nicht nur die Entwicklung vom mehreckigen Kapellenchor wie auf den Bildern 44 und 46 zum bürgerlichen Aussichtserker, sondern auch das erstmalige Auftreten von Renaissanceornamenten (Lorbeergehängen) an dem noch rein gotisch empfundenen Gehäuse (mit schlanker Hohlkehle, hohem Dach und Eckfialen). In der Brüstung stehen die Wappen der Propstei Sebald und der Familie Pfinzing. Das Chörlein wurde im Luftkrieg bis auf den Unterbau mit Fratze und Jahreszahl zerstört und 1962 rekonstruiert.

86 *Chörlein am Tucherschlößchen, Hirschelgasse 11*

Der Hauch der Renaissance hat dieses Chörlein schon stärker gestreift. Das gilt vor allem für die Fensterlösung und den Dreiecksgiebel, aber auch für den Unterbau, wo die gotische Hohlkehle in acht horizontale Polster zerlegt ist. Sie lagern originellerweise einem Kriegselefanten auf, der seinerseits auf einer Kugel balanciert. Brüstungsrelief, Mittelsäule und fast der ganze Oberteil mußten beim Wiederaufbau ausgewechselt werden.

87 *Chörlein Obere Wörthstraße 18*

Nach einer Periode streng kastenförmiger Ausbauten erscheinen im Barock wieder dreiseitig auskragende Chörlein. Sie treten jedoch nur flach vor die Mauerflucht und werden durch seitlich angehängte Ornamente noch stärker der Wand angeschmiegt. An dem abgebildeten Beispiel von etwa 1660 gruppieren sich die Säulen, Voluten, Fratzen und Masken des Zeitstils um einen Reichsadler in der Mitte. Die bizarren Fensterrahmen sind Nostalgie des 19. Jahrhunderts.

88 *Chörlein Weintraubengasse 6*

Die weitaus meisten Nürnberger Chörlein bestehen aus dem billigeren Werkstoff Holz und ähneln damit Freiluft-Mobiliar. Anfangs wie das gezeigte Beispiel von etwa 1680 noch mit schrägen Seitenwänden und schweren Barockornamenten ausgestattet, wandelten sie sich um 1700 zu strengen, rechteckigen Kästen (vgl. Bilder 49, 50, 53 und 63). Parallel dazu erfolgte eine Erweiterung der bisher oft nur fenstergroßen hölzernen Ausbauten. Auch das abgebildete Chörlein läßt wegen seines schmucklosen Unterteils an eine solche nachträgliche Verlängerung denken.

89 *Chörlein und St. Christophorus Weinmarkt 2*

Als nächste Entwicklungsphase bringt das Rokoko die Schrägstellung der Eckpfosten, so daß die Chörlein in einer weichen Rundung vor die Wand treten. Das bedingt einen kelchförmigen Unterbau und zuweilen auch eine kuppelförmige Haube (vgl. die Bilder 52, 56, 58 und 75). Bei dem gezeigten Beispiel hinken die Schmuckformen in der Brüstung noch nach. Neben dem Chörlein steht eine gotische Hausfigur, die wegen ihrer Kleinheit ausnahmsweise in einer Wandnische Platz fand.

90 *Erker Untere Kreuzgasse 4*

Der Spielraum der Nürnberger Dachphantasie reicht von den zipfelhaubenartigen Bekrönungen der »Dicken Türme« bis zu den Renaissance-Pavillons auf dem Rathaus und findet ihre charakteristischste Ausprägung in den spitzbehelmten Ziererkern wie auf den Bildern 33, 52 und 53. Gewissermaßen die Alltagsform stellen demgegenüber die zahlreichen Aufzugserker dar, von denen hier zwei Beispiele ausgewählt sind. Das erste zeigt ein frühes, noch mittelalterliches Stadium, bei dem der Giebel lediglich leicht über Konsolen auslädt und die Aufzugsrolle an einer hinausgeschobenen Stange befestigt ist. Der Kielbogen über der Luke erlaubt eine Datierung um 1500.

91 Erker Agnesgasse 7 (im Hof Füll 8)
Unter dem Einfluß der Funktion wandelt sich die Erkerform: Eine dreiseitig auskragende Aufzugsplatte enthält die Rolle bereits fest eingebaut. Dieses vorspringende »Mützenschild« mit seinem Walmdach läßt den Erker breiter und damit renaissancehafter erscheinen als die gotische Giebelform. Am Holzgerüst bildet sich mit Konsolenfriesen und kannelierten Pilastern eine Scheinarchitektur heraus; doch stehen nachgotische Reminiszenzen, Fachwerkkunststücke und naturalistische Schnitzereien dicht daneben. Die Jahreszahl am Schwellenbrett ist wohl 1574 zu lesen.

92 Haustor Füll 6
Die Türe folgt der jahrhundertelang üblichen Vierfelderteilung (zwei größere stehende Füllungsfelder oben und zwei kleinere liegende unten, dazwischen ein Gesims). Nur Details lassen sie in das spätere 17. Jahrhundert datieren. Das Rautengitter mit den eingesetzten Ring- und Spiralformen und der aus der Mitte vorwachsenden Blume gehört dem 16. Jahrhundert an. Weitere hundert Jahre älter ist die spitzbogige Toröffnung mit der einfachen Abschrägung der Außenkante.

93 Erdgeschoßhalle Füll 6
Der offene »Tennen« diente zum Abstellen von Wagen und zum Durchfahren in den Hof, vielleicht auch zum Lagern und Verkaufen. Die mächtige Eichenbalkendecke, auf der die Schwere des Hauses zu lasten scheint, wird durch einen Unterzug und mehrere Stützsäulen abgefangen. Das Bild zeigt nur eine Ecke, in der die Treppe mit den in Nürnberg so beliebten Maßwerkgeländern beginnt.

94 Hofgalerien Weinmarkt 6
Neben den Treppengeländern eigneten sich besonders die Hofgalerien für das nachgotische Fischblasen-Maßwerk. Hier entwickelte es oft zusammen mit Renaissancesäulen und Barockvoluten einen ortstypischen Mischstil von eigenartiger Schwere und Prachtentfaltung. Der abgebildete Hof, einer der eindrucksvollsten in Nürnberg, ist 1617 datiert.

95 Hof Weißgerbergasse 23
Dem Prunk der Kaufmanns- und Patrizierhöfe steht die malerische Intimität mancher kleinerer Anlagen gegenüber. Neben den einfacheren und dem Zeitstil mehr entsprechenden Balustergeländern finden sich hier auch Fachwerkwände und verbretterte Gänge. Auf den Baugedanken des Hofes selbst wurde aber fast nie verzichtet.

96 Hof Winklerstraße 31
Aus den Arkaden des Hinterhauses blickt man auf die (später verglasten) Verbindungsgänge zum Hauptbau. Das steinerne Brüstungsmaßwerk ist 1519 entstanden und trägt mit seinen durchgesteckten Rippenenden ausgesprochen spätgotischen Charakter.

97 Hof im Sebalder Pfarrhaus, Albrecht-Dürer-Platz 1
Das Anwesen, das zu den ältesten der Stadt zählt, ordnet sich atriumartig um einen quadratischen Hofraum, der in seinem heutigen Zustand mit schlichten Holzgalerien vorwiegend malerische Wirkungen entfaltet.

98 Pellerhof mit Apollobrunnen, Egidienplatz 23
Das Pellerhaus als eine der wenigen architektonischen Leistungen Nürnbergs von Weltrang ist nur als Ruine durch den Krieg gekommen, die dann unverzeihlicherweise nicht wiederhergestellt, sondern in einen Neubau eingefügt wurde. Der Hof von 1605/07 weist zwar ringsum noch zwei (der ursprünglich drei) Arkadengeschosse auf, wirkt aber in seiner ruinösen Funktionslosigkeit vorwiegend als historische Staffage. Seine Ausstattung mit dem Apollobrunnen (wohl nach Entwurf Peter Flötners 1532 von Hans Vischer gegossen; ursprünglich im Herrenschießhaus) ist dagegen ein glücklicher Einfall, der zwei Meisterwerke von klassischer Harmonie zusammengeführt hat.

99 Welserhof, Theresienstraße 7
Als größter erhaltener Bürgerhof vertritt dieser Bau heute zahlreiche ähnlich repräsentative An-

lagen, die im Luftkrieg zugrunde gingen. Wohl um 1520 mit spätgotischen Maßwerkformen der Art Hans Beheims d. Ä. und mit einer luftigen Treppenspindel errichtet, verlor er 1945 seine Ostseite und den Fachwerkabschluß des Treppenturms, wurde aber im übrigen restauriert und in ein neues Verwaltungsgebäude einbezogen.

100 Fembohof, Burgstraße 15
Ein Beispiel für die meist schmäleren, aber hoch umbauten Hofräume, hier mit den weniger aufwendigen hölzernen Balustergalerien (zum größten Teil erneuert). Rechts die Trennmauer zum Nachbaranwesen, die auf ihrer Gegenseite die Verbindungsgänge des nächsten Hofes trug.

101 Rathaushof
Auch der größte öffentliche Bau der Stadt ahmte mit seinen arkadenähnlichen Fenstern und den vorgeblendeten Balusterbrüstungen die Laubenganghöfe der Bürger nach, steigerte aber ihre Formen ins Majestätische. Erbaut von Jakob Wolff d. J. 1616—20, ergänzt und teilweise neuerrichtet 1958.

102 Innerer Burghof
Blick vom Architektenstübchen zur Kemenate. Trotz der ganz andersartigen Zweckbestimmung dieses Hofs fehlen auch hier die hölzernen Laubengänge nicht. Die Gebäude sind weitgehend genaue Rekonstruktionen der Nachkriegszeit unter Verwendung geringer Mauerreste.

103 Heilig-Geist-Spital, Kreuzigungshof
Dieser größte Hof des weitläufigen Spitalkomplexes wurde Anfang des 16. Jahrhunderts auf mächtigen Schwibbogen über die Pegnitz gewölbt. Seine kreuzgangähnliche Abgeschiedenheit entsprach dem ruhigen Tageslauf der Pfründner, läßt aber auch etwas von der strengen religiösen Ordnung solcher mittelalterlichen Sozialeinrichtungen spüren. Beim Wiederaufbau des nur als Skelett erhaltenen Hofs 1952/53 erhielten die Obergeschosse Bretterbrüstungen (anstelle der Balustergeländer) und eine Verglasung. Rechts hinten der Turm der ehemaligen Spitalkirche.

104 Heilig-Geist-Spital, Hanselbrunnen im Hanselhof
Die sichtbare Hofseite ist neugestaltet, wirkt aber mit ihren Holzgalerien früheren Bauzuständen nicht unähnlich. Der Brunnen gehörte zur Erstausstattung des Spitals, das schon seit dem 14. Jahrhundert mit einer eigenen Fernwasserleitung versehen war. Die Figur von etwa 1380 (Original im Germanischen Nationalmuseum) entspricht der hochgotischen Körperauffassung mit überlangen Gliedern und schmalem, stark tailliertem Leib. Als Metallguß stellt sie für ihre Zeit eine bemerkenswerte Leistung dar.

105 Schöner Brunnen am Hauptmarkt
Filigranhaft aufsteigend wie eine Kirchturmspitze, erweist sich die Steinpyramide im Detail als ein Kompendium gotischer Bauformen. 40 Figuren beleben sie in sorgfältiger Abstufung vom Profanen zum Sakralen: Sitzend vorne die Allegorien der Sieben Freien Künste und der Philosophie, dahinter die vier Evangelisten und vier Kirchenväter; stehend die sieben Kurfürsten und je drei christliche, jüdische und heidnische Helden, darüber Moses mit sieben Propheten. Die Fertigstellung um 1390 steht mit einem »Heinrich dem Palierer« im Zusammenhang; doch hat der Brunnen seither mehrere einschneidende Reparaturen sowie 1897/1902 eine völlige Nachbildung in Muschelkalk erfahren. Dabei wurde auch das reiche plastische Programm kopiert oder, wie die Brunnenrandfiguren, nach zeichnerischen Überlieferungen neu geschaffen. Dasselbe gilt vom Oberteil des 1587 geschmiedeten Gitters und von den Wasserentnahmeröhren. Nach dem Krieg wurde der Brunnen, wie schon mehrmals vorher, neu farbig gefaßt; dabei diente ein Aquarell von 1540 als Vorbild.

106 Gänsemännlein am Alten Rathaus
Nach älterer Überlieferung goß Pankraz Labenwolf um 1550 diesen durch sein originelles Thema ebenso wie durch seine lebensvolle Darstellung besonders volkstümlichen Brunnen. Der Bauer ist zwar humorvoll, aber keineswegs abwertend gesehen und kann in diesem Sinne als Seitenstück und Weiterentwicklung Dürerscher Bauernzeichnungen gelten.

107 Dudelsackpfeifer am Unschlittplatz
Der mit Mantel, Kaputze und Hut bekleidete und mit dem Fuß den Takt klopfende Musikant stammt wohl ebenfalls aus der ersten Hälfte des 16. Jahrhunderts, bleibt aber gegenüber dem Gänsemännlein in der künstlerischen Durchbildung zurück.

Die Figur ist ein Guß von 1880 nach dem Original-Holzmodell im Germanischen Nationalmuseum.

108 *Puttenbrunnen im großen Rathaushof*

In der Klarheit und Strenge der Formen verkörpert der Brunnenschaft eine so klassische Renaissanceauffassung wie kaum ein anderes Nürnberger Kunstwerk. Der kräftig modellierte Putto mit Stadtwappen und Fahne schreitet über acht aufgebäumten Delphinen, aus deren Mäulern 16 Wasserstrahlen wie ein Schleier die Säule umspielen. Der Säulensockel trägt die Bezeichnung 1557 P[ankraz] L[abenwolf]; die flache Kupferschale, die vom Sturz des Wassers leise tönt, ist nach den Stadtrechnungen jedoch schon 1549 entstanden.

109 *Tugendbrunnen an der Lorenzkirche (Ausschnitt)*

Die Spitze des dreistufigen Brunnens nimmt die Figur der Justitia ein, während darunter Trompeter mit den reichsstädtischen Wappen sowie die Allegorien von sieben Haupttugenden (Glaube, Liebe, Hoffnung, Tapferkeit, Mäßigkeit und Geduld) stehen. Alle Tugenden erscheinen als gravitätische Frauengestalten mit panzerähnlich verzierten Miedern um die offenen Brüste, aus denen das Wasser spritzt und sich mit anderen Strahlen aus Trompeten und Masken überschneidet. Der Brunnen gilt als ein Hauptwerk des deutschen Manierismus und wurde laut Inschrift 1589 von Benedikt Wurzelbauer gegossen.

110 *Tritonbrunnen am Maxplatz*

Der athletische, zweischwänzige Meeresgott ist eine urwüchsige Gestalt des Nürnberger Barock, der mit voller Kraft in die Muschel bläst. Zwischen den vier Delphinköpfen unter der Mittelschale findet man die Jahreszahl 1687. Als Schöpfer ist Johannes Leonhard Bromig nachgewiesen; die Tritonfigur mußte jedoch nach schweren Luftkriegsschäden nachgebildet werden.

111 *Amorbrunnen im Barockgarten Johannisstraße 13*

Von der barocken Gartenkultur vor den Stadtmauern ist nur wenig übriggeblieben. Ein Teil davon wurde nach dem Krieg in dem abgebildeten Anwesen vereinigt, das mit seinen schmiedeeisernen Balustraden und dem Brunnenbecken noch die Umrisse des alten Gartens erkennen ließ. Der kleine Amor, der auf einem Löwen reitet und ihm den Rachen aufreißt, bildet jetzt die Mitte eines barocken Götterolymps (von links: Venus, Pallas Athene, Merkur, Jupiter).

112 *Neptunbrunnen im Stadtpark*

Die größte schöpferische Leistung nach dem Dreißigjährigen Krieg und das letzte Kunstwerk Nürnbergs von Weltgeltung ist der 1660–68 von Georg Schweigger und Christoph Ritter modellierte und von Wolff Hieronymus Heroldt gegossene Neptunbrunnen. Der über einem Gefolge von Najaden, Putten, Meerreitern, Delphinen und Seedrachen majestätisch und doch fast tänzerisch-leicht schreitende Meeresgott gehört zu den Höchstleistungen barocker Plastik. Obwohl der Brunnen als neuzeitliche »Fontäne« viel Bewunderung fand, wurde er wegen des fehlenden Wasserwerks nie betriebsfähig aufgestellt und schließlich 1797 an den Zaren Paul I. verkauft. 1902 bis 1937 stand eine vom Original in Peterhof abgenommene Kopie am ursprünglich vorgesehenen Platz am Hauptmarkt. Heute hat sie im Stadtpark außerhalb der Altstadt einen in jeder Hinsicht falschen Ort gefunden. Die Frage einer Rückkehr in die Innenstadt sollte deshalb nicht als Tabu gelten.

113 *Dürerbrunnen am Maxplatz*

Er wurde nach Entwurf von Karl Alexander Heideloff 1821, im Jahr des 350. Geburtstages Dürers, von der Stadt als Erinnerungsmal errichtet und ist insofern als Vorläufer des großen Dürermonuments von 1840 zu betrachten. Der stumpfe klassizistische Obelisk trägt zwischen Fackeln und Girlanden die Stadtwappen und die Bildnisse Dürers und seines Freundes Pirckheimer. Die beiden Tröge sind eine schöne Arbeit der Eisengießerei Bodenwöhr.

114 *Neptunbrunnen im Gartensaal Maxplatz 34*

Der Wandbrunnen im grottenartigen Saal eines Altstadthauses, das statt des Hofes einen kleinen Garten besaß, ist wohl zwischen 1682 und 1687 entstanden. Als Stukkateur wird Johann Leonhard Schmelzel vermutet.

115 *Mauritiusbrunnen im Welserhof Theresienstraße 7*

Die Statuette (Original im Germanischen Nationalmuseum) ist ein Zweitguß der Mauritiusfigur vom Grabmal des Erzbischofs Ernst im Magdeburger Dom 1495, die Peter Vischer dem ihm geschäftlich verbundenen Patrizier Peter Imhof schenkte. Die feingebildete Gestalt verbindet ritterliche Haltung mit gläubigem Vertrauen im Blick nach oben.

116 *Hieserleinbrunnen am Unschlitthaus*
Die Brunnenmaske eines blumenbekränzten Jünglings mit träumerischem Gesichtsausdruck stammt (ohne das Wasserauslaufrohr) aus der Zeit vor 1400. 1874 wurde der Brunnen abgebrochen, aber hundert Jahre später von der Vereinigung der Altstadtfreunde wieder errichtet. Die jetzige Maske ist ein Abguß des Originals im Germanischen Nationalmuseum, während der neugeschaffene Trog sich auf eine Abbildung des früheren Brunnens stützt.

117 *Jägerbrunnen im Tucherschlößchen, Hirschelgasse 11*
Den Ort des alten Brunnens nimmt ein reich profilierter Trog aus dem Hof Tetzelgasse 37 und eine barocke Gartenplastik ein. Der Auslauf wurde bis vor kurzem durch eine natürliche Wasserader gespeist, die wegen benachbarter Bauvorhaben nun versiegt ist.

118 *Karlsbrücke*
Sie wurde als schönste erhaltene Barockbrücke Nürnbergs 1728 erbaut und nach dem regierenden Kaiser Karl VI. benannt. Ihre beiden korbbogigen Öffnungen treffen sich in einem verzierten Mittelpfeiler, der in seinen Ausbuchtungen zwei Obelisken mit Adler und Taube als Symbolen für Krieg und Frieden trägt. 1945 hat die Brücke starke Splitterschäden erlitten; vor allem aber fehlt ihr seitdem das durch Lisenen gegliederte und durch 30 Sandsteinkugeln pittoresk belebte barocke Geländer.

119 *Kettensteg*
Anstelle des von Dürer gezeichneten »Trockenstegs« ließ die Stadt 1824 durch den Mechaniker Johann Georg Kuppler die erste Hängebrücke Deutschlands konstruieren. Sie ist als Denkmal technischen Fortschritts ähnlich zu werten wie die elf Jahre später eröffnete erste deutsche Eisenbahn von Nürnberg nach Fürth. Die Brücke hing bis 1930 allein an ihren Ketten; erst dann wurden zusätzliche hölzerne Stützpfeiler untergeschoben.

120 *Henkersteg*
Der Steg gibt das Bild mehrerer ehemaliger »gedeckter Brücken« wieder, ist aber ein Neubau von 1954 anstelle eines im Krieg zerstörten Eisensteges. Dahinter ragen Wasser- und Henkerturm der vorletzten Stadtbefestigung (um 1320) hervor.

121 *Fleischbrücke*
Diese einzige ohne Pfeiler den Fluß überwölbende Brücke gilt als Meisterleistung alter Ingenieurkunst. Sie wurde 1596—98 von Jakob Wolff d. Ä. und Peter Carl erbaut und stützt sich auf seitlich in die Ufer getriebene Eichenpfähle. Die kanzelartigen Vorbauten tragen Patrizierwappen, deren Originale im Germanischen Nationalmuseum heute als Brunneneinfassung dienen (Bild 137).

122 *Chor der Sebalduskirche*
Der ursprünglich romanische Ostchor mit der Grabstätte des Stadtheiligen Sebald wurde 1361—79 durch den filigranhaften, fast völlig in Fensterflächen und Strebepfeiler aufgegliederten Hallenchor ersetzt. Als Rest des ehemals umgebenden Friedhofs ist links die Schreyer-Landauersche Grabnische (figurenreich ausgestaltet durch Adam Kraft 1492) erhalten. Die Türme im Hintergrund stammen in den Untergeschossen noch aus der Romanik, wurden aber 1481—90 als Gegengewicht zum Chordach um die zwei obersten Stockwerke und das Spitzdach erhöht.

123 *Chor der Lorenzkirche*
Bei der in allen Bauabschnitten etwas jüngeren zweiten Hauptkirche der Stadt fällt der Neubau des Ostchors erst in die Zeit von 1439—1477 und damit in den Bereich der Spätgotik. Als Baumeister waren nacheinander Konrad Heinzelmann, Konrad Roritzer und Jakob Grimm tätig. Im Gegensatz zur Formenentfaltung des Inneren wirkt am Außenbau die Wandgliederung flächiger und ruhiger, gewinnt aber durch die Horizontale zwischen den zwei Fensterreihen eine bisher unbekannte Breitendimension.

124 *Westfront der Sebalduskirche*
Der ältere Teil der Kirche von etwa 1230—75 läßt die Doppelchörigkeit vieler romanischer Dome (wie Worms, Mainz oder Bamberg) und die burgartige Wirkung von Chor und Turmpaar erkennen. Die beiden romanischen Portale wurden um 1310 bei Erweiterung der Seitenschiffe hierher

übertragen, die gotischen Spitzbogenfenster im Chor während des 14. Jahrhunderts eingebrochen (wie Baunaht und durchschnittenes Gesims noch leicht erkennen lassen). Das barocke Kruzifix goß Johann Wurzelbauer 1625.

125 Westfront der Lorenzkirche

Die erst 1270 begonnene Lorenzkirche besitzt statt des Westchors bereits die Schau- und Portalseite einer gotischen Kathedrale. Die formale Ausgestaltung erfolgte wohl um 1350/60; sie umfaßt neben dem Portal mit seinen über hundert Steinfiguren und neben dem feinziselierten Schmuckgiebel vor allem die Rosette, die durch schräggestellte und einander überdeckende Speichen einen dynamischen, rotierenden Ausdruck gewinnt. Bezeichnend für Nürnberg ist es, daß die reiche Schmuckwand sich nicht über die ganze Westfront ausdehnt, sondern in die kompakten Mauerflächen der Türme eingespannt bleibt.

126 Frauenkirche

Anders als bei St. Sebald und St. Lorenz ist hier die dreischiffige Halle nicht Anhängsel an eine ältere Kirche, sondern Formprinzip des gesamten Langhauses. Mit kaiserlicher Förderung 1352–60 an beherrschender Stelle des neugeschaffenen Hauptmarkts errichtet, erinnert die Giebelfassade an bürgerliche Architekturformen, distanziert sich aber von ihnen durch die vorspringende Portalhalle mit der Wappenbalustrade. Über ihr schuf Adam Kraft 1506/08 das spätgotische Michaelschörlein, an dem auch die Kunstuhr des »Männleinlaufens« (von Jörg Heuß, 1509) Platz fand. Im Luftkrieg blieb von allem nur das Außenmauerwerk übrig.

127 Egidienkirche

Nach einem Brand des romanischen Vorgängerbaus wurde die Kirche 1711–18 durch Gottlieb Trost (auf Grund des Entwurfs seines Vaters Johann Trost) neu errichtet. Obwohl die Grundmauern der Ruine und der erhaltene gotische Chor verwendet werden mußten, entstand ein Barockbau von eindrucksvoller Wirkung. Den Westteil beherrscht ein elegantes, schwungvoll bekröntes Turmpaar, das aus dem strenger geformten Unterbau aufsteigt. Der Wiederaufbau der im Krieg schwer getroffenen Kirche erfolgte äußerlich getreu, im Inneren aber leider unter Verzicht auf wichtige Teile der barocken Dekoration.

128 Elisabethkirche

Der Bau gehörte zur Deutschordenskommende in Nürnberg und war damit weitgehend exterritorial. 1785 ließ der Orden die gotische Elisabethkapelle abreißen und wohl als bewußte Demonstration in der protestantischen Reichsstadt den mächtigen Kuppelbau beginnen. Entwerfer mit wechselnden Plänen waren nacheinander Franz Ignaz Michael Neumann, Peter Anton von Verschaffelt und Wilhelm Ferdinand Lipper; doch blieb das Projekt durch die Säkularisierung des Ordens im Rohbau stecken und gedieh erst 1885 zur katholischen Kirche. Der Endausbau zog sich sogar bis 1903 hin. Nach Brandschaden im letzten Krieg mußte die Kuppel rekonstruiert werden; sie erhielt dabei eine etwas höhere, gegliederte Form. — Die Architektur der Kirche ist früher oft als Fremdkörper betrachtet worden, trifft aber in ihrer wuchtigen Massigkeit erstaunlich gut den Charakter des Stadtbilds.

129 Jakobskirche

Mit ihrem spitzen ziegelgedeckten Turm ist sie die fränkischste unter den Nürnberger Kirchen und scheint einen Hauch des bäuerlichen Umlands in die Stadt zu tragen. Ihre Ursprünge gehen jedoch bis auf einen Königshof des 12. Jahrhunderts zurück. Vom heutigen Bau stammt der Chor aus dem 13., das Langhaus aus dem 14. Jahrhundert. Im Krieg wurde die Kirche stark verwüstet, äußerlich aber 1962 getreu wiederhergestellt.

130 Marthakirche

Dieser im Grundriß der Frauenkirche nicht unähnliche und nur wenig kleinere Bau wurde zwischen 1365 und 1381 als Teil eines Pilgerspitals errichtet. Von hohem Wert sind seine Glasgemälde, die in der Mehrzahl noch aus dem 14. Jahrhundert stammen.

131 Walburgiskapelle auf der Burg

Als Bestandteil der Burggrafenburg 1267 erstmals erwähnt, wurde der Bau 1420 zerstört und bald darauf wiedererrichtet. Der Altarraum liegt im Erdgeschoß des Turms, der auch als Wehrturm diente. 1427 erhielt er das gotische Südfenster eingebrochen (vgl. Bild 9) und vor 1493 ein Fachwerkgeschoß aufgesetzt, das 1677 bereits in Sandstein erneuert war. Im Luftkrieg blieben nur Teile der Außenmauern stehen.

132 *Tetzelkapelle im Gymnasialhof*
Den Brand des ehemaligen Schottenklosters und späteren Gymnasiums 1696 überstanden drei ältere Kapellen, die aneinandergebaut südlich der Egidienkirche liegen. Abgebildet ist die Tetzelkapelle, die gegen 1345 in Form eines Chores an die romanische Euchariuskapelle angefügt worden war. Neben der Tür steht eine Madonna aus dem Umkreis des Veit Stoß (Original im Germanischen Nationalmuseum).

133 *Allerheiligenkapelle in der Landauergasse*
Die Kapelle des 1501 durch Matthäus Landauer begonnenen und 1510 vollendeten »Zwölfbrüderhauses« für alte Bürger wurde wohl von Hans Beheim d. Ä. errichtet. Dafür spricht vor allem das reiche Netzgewölbe des Inneren mit einem hängenden Schlußstein. Für diesen Raum malte Dürer 1508—11 sein (jetzt in Wien befindliches) Allerheiligenbild. Am Außenbau zeigen die drei maßwerklosen Rundbogenfenster mit ihren einfachen Sandsteinstäben die Ermüdung gotischer Formen. Im Krieg wurde die Kapelle bis auf die Umfassungsmauern vernichtet, aber einschließlich des Gewölbes wiederhergestellt und unter Wegfall eines späteren Obergeschosses mit dem ursprünglichen Steildach versehen. Sie dient derzeit dem angrenzenden Gymnasium als Festraum.

134 *Kartäuserkirche*
Der Stifter des Kartäuserklosters, Marquard Mendel, legte 1381 im Beisein König Wenzels den Grundstein zur Kirche. An ihr wurde aber auch 1440 gebaut. 1946—48 mußte ein Teil des Langhauses und der Giebel neu errichtet werden. Heute ist der einschiffige gewölbte Bau, ebenso wie das rechts anschließende Refektorium und die anderen ehemaligen Klosterbauten (Bilder 136 und 137), ein Sammlungsraum des Germanischen Nationalmuseums.

135 *Klarakirche*
Die ältesten Teile der Kirche, die an der Wende von der Romanik zur Gotik stehen, wurden 1273 geweiht; doch erfolgten im 14. und 15. Jahrhundert mehrfach weitere Bauarbeiten. Im Luftkrieg brannte die Kirche bis auf die Umfassungsmauern aus. Die umfangreichen Gebäude des Klarissenklosters waren schon im 19. Jahrhundert bis auf das »Silbertürmchen« (links vorne) dem Abbruch verfallen. Dachanschnitte an der Kirchenmauer

lassen die Lage einiger Bauten noch erkennen. Dazwischen zeichnen sich eingehauene Buchstaben ab, die an die hier begrabenen Nonnen erinnern.

136 *Großer Kreuzgang des Kartäuserklosters*
Am besten von den acht ehemaligen Klöstern Nürnbergs hat sich die Kartause erhalten, die seit 1857 den Kern des Germanischen Nationalmuseums bildet. Zwar stehen seit dem Luftkrieg nur noch zwei Flügel des »Großen Kreuzgangs«, sie lassen aber die beachtliche Ausdehnung der Anlage erkennen. Die Reste des idyllischeren »Kleinen Kreuzgangs« wurden dagegen überdacht und kulissenartig in einen Ausstellungsraum einbezogen.

137 *Mönchshäuser im Kartäuserkloster*
Als Eremitenkloster verfügte die Kartause über etwa 15 Häuser für die getrennte Unterbringung der Mönche. Einige dieser Bauten sind noch vorhanden und dienen nach Verbindung durch Zwischentrakte und Einbrechen größerer Fenster als Ausstellungsräume.

138 *Dominikanergarten, Burgstraße 6*
Als einziger Rest des Dominikanerklosters blieb nach den Bombenschäden ein versteckter Garten erhalten, der an seiner Nordseite noch von alten Wirtschaftsgebäuden mit Holzgalerien umgeben wird. Der mächtige Brunnentrog ist aus einem einzigen Steinblock gearbeitet.

139 *Garten des Klarissenklosters, Königstraße 64*
Ein hufeisenförmiger gedeckter Gang in modernen Formen läßt vor der Wand der alten Kirche einen Hauch früherer Kreuzgangatmosphäre aufkommen.

140 *Katharinenkirche*
Neben St. Klara und der Kartäuserkirche ist diese Ruine die einzige noch regenerationsfähige der acht ehemaligen Klosterkirchen. Sie wurde mit dem zugehörigen Nonnenkloster 1297 gestiftet und bald darauf fertiggestellt. Nach der Reformation diente sie von 1620 bis kurz vor 1800 neben dem Gottesdienst auch den Meistersingern für ihre sonntäglichen Singschulen. Als Ort des 1. Aktes der Wagnerschen Oper ist sie weltbekannt geworden. 1921—23 ließ die Stadt die inzwischen profanierte Kirche als Vortrags- und Musiksaal ausbauen; 1945 erfolgte die totale Zerstörung.

Bildtitel ausklappbar ▷

141 *Kreuzgang des Katharinenklosters*
Das bis 1945 in seinem Kern vollständig erhaltene Katharinenkloster bildet heute die größte historische Ruine Nürnbergs. Trotz zaghafter Sicherungsmaßnahmen ist ihr Verfall bisher laufend fortgeschritten. 1976 haben jedoch endlich Substanzerhaltungs- und Ergänzungsarbeiten begonnen, die von der Stadt mit Unterstützung der Vereinigung der Altstadtfreunde durchgeführt werden. Auf längere Sicht ist ein Ausbau für die Stadtbibliothek geplant.

142 *Johannisfriedhof mit Johanniskirche*
Die beiden alten Friedhöfe vor der Stadtmauer, die 1518 angelegt wurden und bis heute in Benützung stehen, gehören zu den eindrucksvollsten geschichtlichen Denkmälern der Stadt. Zahlreiche Broncetafeln auf den sargähnlichen Grabsteinen dokumentieren Zeit und Bewußtsein der Verstorbenen, unter denen sich Dürer, Stoß, Jamnitzer und Pirckheimer befinden. Die Johanniskirche (1377—95) war bereits Bestandteil eines 1234 erstmals genannten Leprosenasyls. 1970 wurden ihre Sandsteinmauern zweifarbig überstrichen.

143 *Rochusfriedhof mit Rochuskapelle*
Der Friedhof für die südliche Stadthälfte ist ebenso alt und nach den gleichen Grundsätzen angelegt wie sein berühmteres Seitenstück. Hier ruhen u. a. Peter Vischer und Johann Pachelbel. Die Rochuskapelle ist eine Stiftung der Familie Imhoff von 1520/21; sie befindet sich heute noch im Besitz dieses Geschlechts und birgt eine reiche Ausstattung. Am Außenbau sind an den Fenstern die verblassenden gotischen Formen dieser letzten mittelalterlichen Kirche Nürnbergs zu erkennen.

144 *Holzschuherkapelle auf dem Johannisfriedhof*
Noch deutlicher spürbar wird der Abschied von der Gotik an diesem Rundbau aus dem Jahre 1513. Seine Form ist allerdings dadurch mitbedingt, daß er die 1507/08 errichtete Grablegungsgruppe von Adam Kraft aufnahm und sich deswegen dem Typ der runden Heilig-Grab-Kapellen nach dem Vorbild Jerusalems annäherte. Im Inneren hängt wie in der Allerheiligenkapelle (vgl. Bild 133) ein kunstvoller Schlußstein frei vom Gewölbe herab; hier wie dort wird deshalb Hans Beheim d. Ä. als Baumeister vermutet.
Die Holzschuherkapelle steht künstlerisch an einem Wendepunkt — zwischen der aufstrebenden Dynamik gotischer Kirchen und der klassischen Harmonie der »Dicken Türme«. Ihr Zweck aber bleibt davon unberührt: In dieser Kapelle endet die Reihe der Leidensstationen von der Stadt heraus, an ihr führte der letzte Weg unzähliger Bürger vorbei, und um sie herum zerfällt all das wieder zur Erde, was in Jahrhunderten das alte Nürnberg blühen ließ.

53

58

8

Obere Schmiedgasse

85

129

41